Tübingen

Sachbuchverlag Karin Mader

Fotos:
Jost Schilgen

Text:
Martina Wengierek

© Sachbuchverlag Karin Mader
D-28879 Grasberg

Grasberg 1999
Alle Rechte, auch auszugsweise, vorbehalten.

Übersetzungen:
Englisch: Michael Meadows
Französisch: Mireille Patel

Printed in Germany

ISBN 3-921957-69-9

In dieser Serie sind erschienen:

Aschaffenburg	Essen	Das Lipperland	Rostock
Baden-Baden	Flensburg	Lübeck	Rügen
Bad Oeynhausen	Freiburg	Lüneburg	Die Küste –
Bad Pyrmont	Fulda	Mainz	Schleswig-Holstein Nordsee
Bochum	Gießen	Mannheim	Die Küste –
Bonn	Göttingen	Marburg	Schleswig-Holstein Ostsee
Braunschweig	Hagen	Die Küste –	Schwerin
Bremen	Hamburg	Mecklenburg-Vorpommern	Siegen
Bremerhaven	Der Harz	Minden	Stade
Buxtehude	Heidelberg	Mönchengladbach	Sylt
Celle	Herrenhäuser Gärten	Münster	Trier
Cuxhaven	Hildesheim	Das Neckartal	Tübingen
Darmstadt	Kaiserslautern	Oldenburg	Ulm
Darmstadt und der Jugendstil	Karlsruhe	Osnabrück	Wiesbaden
Duisburg	Kassel	Die Küste – Ostfriesland	Wilhelmshaven
Die Eifel	Kiel	Paderborn	Wolfsburg
Eisenach	Koblenz	Recklinghausen	Würzburg
Erfurt	Krefeld	Der Rheingau	Wuppertal

Titelbild:
Das Rathaus

Tübingen wurde schon im Jahre 1231 als Stadt bezeichnet, doch erst mit Gründung der Universität 1477 trat sie ins Rampenlicht der Geschichte. Die Universität entwickelte sich zu einer bedeutenden Stätte der Humanisten und zu einem wichtigen Stützpunkt der Reformation. Eine große Rolle bei der Entwicklung des deutschen Luthertums spielte das Evangelische Stift, das Herzog Ulrich 1536 zur Ausbildung des Pfarrer-Nachwuchses ins Leben rief. Hier studierten Prominente wie Hegel, Hölderlin, Schelling und Vischer. Aber auch andere Wissenschaftler hinterließen am Neckar ihre Spuren: etwa im 16. Jahrhundert der Botaniker Leonhart Fuchs, nach dem später die Fuchsie benannt wurde. Oder der Astronom Johannes Kepler, der 1589 im Stift sein Theologiestudium begann, und Professor Wilhelm Schickard, der hier 1623 die erste mechanische Rechenmaschine der Welt erfand. Kein Wunder, daß sich Tübingen zum idealen Pflaster für Buchverleger mauserte. Vor allem für einen: Johann Friedrich Cotta. Er machte sich um die deutschen Klassiker verdient.

Die Universität prägt bis heute das Gesicht der Stadt, in der rund 75 500 Menschen leben. 25 000 davon sind Studentinnen und Studenten – eine stattliche Zahl, wenn man bedenkt, daß der Lehrbetrieb einst mit 300 jungen Männern begann. Sie alle schätzen an Tübingen vor allem das, was auch Besucher aus der ganzen Welt in seine malerischen Gassen zieht: das Flair von Jahrhunderten des geistigen Aufbruchs.

Tübingen was designated as a city as early as 1231, but it did not step onto the stage of history until the university was founded in 1477. The university developed into an important site of humanism and a significant base of the Reformation. The Protestant foundation initiated by Duke Ulrich for the education of future parish priests in 1536 played a great role in the development of Lutheranism in Germany. Prominent personalities, such as Hegel, Hölderlin, Schelling and Vischer, studied here. However, other scientists also left their mark on the Neckar: in the 16th century, for example, botanist Leonhart Fuchs, after whom the fuchsia was later named. Or the astronomer, Johannes Kepler, who began his theology studies at the seminar in 1589, and Professor Wilhelm Schickard, who invented the first mechanical calculating machine in the world here in 1623. It's no wonder that Tübingen blossomed into the ideal site for book publishers. For one in particular: Johann Friedrich Cotta. He did great service to German classics.

Even today the university is a distinguishing feature of the city, where roughly 75,500 persons live. 25,000 of them are students – an impressive figure if one considers that courses there once began with 300 young men. In Tübingen they all particularly appreciate the quality that attracts visitors from all over the world to its picturesque lanes: the flair of centuries of intellectual uplifting.

La ville de Tübingen fur mentionnée dès 1231 mais ce n'est qu'avec la création de l'université, en 1477, qu'elle accéda à la célébrité. L'université devint l'un des hauts lieux de l'humanisme et un important soutien de la Réforme. Le collège Evangélique, fondé par le duc Ulrich en 1536 pour former des séminaristes, joua un grand rôle dans le développement du luthérianisme allemand. Des hommes célèbres comme Hegel, Hölderlin, Schelling et Vischer y étudièrent mais d'autres savants laissèrent aussi leurs traces sur le bord du Neckar: au 16e siècle, le botaniste Leonhart Fuchs, auquel les fuchsias doivent leur nom, l'astronome Johannes Kepler qui commença ses études de théologie au collège en 1589 et le professeur Wilhelm Schickard qui inventa ici la première machine à calculer au monde. Rien d'étonnant à ce que les maisons d'édition prospérèrent à Tübingen, celle de Johann Friedrich Cotta, en particulier, qui eut le mérite d'éditer les classiques allemands.

L'université a donné à cette ville son visage caractéristique. Des 75 500 personnes qui y vivent, 25 000 sont étudiants et étudiantes – un nombre considérable si l'on considère qu'à sa fondation, l'université ne comptait que 300 jeunes hommes. Ils apprécient ce qui attire les visiteurs du monde entier dans les ruelles pittoresques: la marque laissée au cours des siècles par le souffle de l'esprit.

Auf den Pfaden der Dichter und Denker

Typisch Tübingen: Die Neckarfront zieht ebenso wie die romantische Altstadt Einheimische wie Besucher in den Bann. Beliebter Blickfang ist die Eberhardbrücke, die wie ihre Vorgängerin aus dem 15. Jahrhundert nach dem Gründer der Universität, Graf Eberhard von Württemberg, benannt ist.

Typical Tübingen: the Neckar as well as the romantic Old Town captivate local residents and visitors alike. A popular eye-catcher is the Eberhard Bridge, which, like its predecessor dating from 15th century, is named after the founder of the university, Count Eberhard von Württemberg.

Typique de Tübingen: la rive du Neckar tout comme la vieille ville romantique exercent un attrait irrésistible sur les visiteurs et les gens d'ici. Le pont Eberhard capte le regard. Tout comme son prédécesseur il porte le nom du fondateur de l'université, le comte Eberhard de Württemberg.

Als „Gruft und Tempel" seines Bewohners
Friedrich Hölderlin erlangte ein kleiner Turm
am Neckar schon früh traurige Berühmtheit.
Der Dichter verbrachte hier 36 Jahre, bis er 1843
in geistiger Umnachtung starb. Im Hölderlin-
turm erinnert heute ein Museum an das Wirken
des Dichters. Die Zwingelmauer unterhalb der
Giebelfront gilt als Lieblingsplatz der Studenten.

As "tomb and temple" of its inhabitant, Friedrich Hölderlin, a small tower on the Neckar
attained sad fame at an early date. The poet
spent 36 years here until he died, mentally de-
ranged, in 1843. In the Hölderlin Tower a museum recalls the works of the poet. The wall
below the gable front is considered to be a favo-
rite spot for students.

Cette petite tour sur le Neckar devint tristement
célèbre. «Caveau et temple», le poète Friedrich
Hölderlin habita ici pendant 36 ans jusqu'à ce
qu'il meure en 1843, en proie à la démence. Le
musée de la tour Hölderlin est dédié au poète.
Le mur Zwingel, en contrebas de la façade à
pignon, est un endroit que les étudiants affec-
tionnent particulièrement.

Wer früher in Tübingen Medizin, Jura oder Theologie studieren wollte, mußte erst in der „unteren Fakultät" seinen Magister Artium machen – das war hier, in der Bursa am Neckar, wo es Hörsäle, Wohnräume, Schlafsäle und eine Mensa gab. In die Bursa, die 1479 als Studentenherberge gegründet worden war, zog 1805 die erste Klinik der Stadt ein. Seit 1972 beherbergt sie das Kunsthistorische Institut und das Philosophische Seminar.

Those who wanted to study medicine, law or theology in Tübingen in the past first had to do their Master of Arts in the "lower faculty" – that was here, in the "Bursa" on the Neckar, where there were lecture halls, living rooms, sleeping quarters and a cafeteria. In 1805 the first clinic in the city moved into the Bursa, which was founded as a student hostel in 1479. Since 1972 it has housed the Art History Institute and the Philosophy Department.

Qui voulait jadis étudier la médecine, le droit ou la théologie à Tübingen devait d'abord passer son Magister Artium dans la «basse faculté». Il s'y préparait, ici, dans la Bursa, au bord de Neckar. Elle comprenait des salles de cours, des dortoirs, des pièces d'habitation et un réfectoire. La Bursa fut fondée en 1479 comme résidence universitaire. En 1805 la première clinique de la ville y fut établie. Depuis 1972 elle accueille l'institut d'Histoire de l'Art et la faculté de philosophie.

Kaum vorstellbar: Durch diese engen Häuschen vor der Stadtmauer floß einst der Neckar. Schon 1383 wurde das „Neckarbad" als Badestube erwähnt. Schwimmen konnte man allerdings nicht – nur das fließende Wasser genießen. Nach dem Dreißigjährigen Krieg richteten Tuchmacher hier eine Färberei ein. Mit der Flußregulierung vor dem Ersten Weltkrieg war es mit dieser Attraktion vorbei.

Hardly imaginable: the Neckar used to flow through these narrow houses in front of the city wall. The "Neckarbad" was mentioned as swimming baths as early as 1383. It was not possible to swim, however – one could only enjoy the flowing water. After the 30 Years' War clothmakers set up dyeing works here. This attraction disappeared after regulation of the river prior to the First World War.

Difficile à imaginer: le Neckar coulait ici entre ces maisons étroites devant le mur de la ville. Le «Neckarbad» est mentionné dès 1383 comme établissement balnéaire. Il n'était pas possible d'y nager mais seulement d'y jouir de l'eau courante. Après la guerre de Trente Ans les drapiers installèrent ici une teinturerie. Cette attraction disparut avant la Première Guerre Mondiale lorsque le débit du fleuve fut régularisé.

Die Alte Aula stammt aus dem Jahre 1547. Über den Köpfen der Studenten, die hier den Vorlesungen lauschten, erhob sich damals noch ein hoher Giebel – vollgestopft mit Getreidevorräten. Damit wurden nämlich die Professoren bezahlt. 1777, zum 300jährigen Jubiläum der Universität, erhielt das Haus sein jetziges Äußeres. Heute ist es erste Adresse für Erziehungswissenschaftler und Orientalisten.

The Old Assembly Hall dates from the year 1547. At that time a high gable – filled with grain supplies – still rose above the heads of the students who listened to lectures here. This was, in fact, how the professors were paid. In 1777, at the 300th anniversary of the university, the building was given its present appearance. Today it is a foremost place for educationalists and orientalists.

La Alte Aula date de 1547. Au-dessus des têtes des étudiants qui assistaient aux cours, s'élevait jadis un haut pignon – rempli de réserves de grains. C'est ainsi que les professeurs étaient payés. En 1777, pour le 300e anniversaire de l'université, on donna au bâtiment son apparence actuelle. C'est aujourd'hui la meilleure adresse pour la pédagogie et l'orientalisme.

Es war in der Mitte des 11. Jahrhunderts, als die Grafen von Tübingen die seit alemannischer Zeit bestehende Siedlung mit einer Burg befestigten. Diese wurde beim Bau des heutigen Schlosses Hohentübingen im 16. Jahrhundert – damals einer der stattlichsten Plätze Deutschlands – restlos abgetragen. Ab 1752 richtete sich die Universität in den Räumen ein. Gewölbekeller und Kasematten gelten heute noch als hervorragende Beispiele für den Festungsbau vor 400 Jahren. Das untere Schloßtor von 1607 blieb als eindrucksvolles Zeugnis der Hochrenaissance erhalten.

It was in the middle of the 11th century when the counts from Tübingen fortified the settlement, which has existed since the Alemannic period, with a castle. The latter was completely levelled when the present Hohentübingen Castle was built in the 16th century – at that time one of the most magnificent places in Germany. Beginning in 1752, the university set itself up in the castle rooms. A vaulted cellar and casemates are still regarded as outstanding examples of fortress construction 400 years ago. The lower castle gate dating from 1607 remained intact as impressive evidence of the High Renaissance.

Vers le milieu du 11e siècle, les comtes de Tübingen dotèrent d'une forteresse ce lieu de peuplement qui existait depuis l'époque alémanique. Au 16e siècle elle fut totalement démolie pour construire l'actuel château de Hohentübingen – alors l'un des plus somptueux d'Allemagne. A partir de 1752, l'université s'installa dans ses murs. Cave voûtée et casemates sont considérées encore aujourd'hui comme d'excellents exemples de fortifications du 16e siècle. La porte du château de 1607 est un témoin impressionnant de la haute Renaissance.

Das Herz Tübingens ist der Marktplatz, den stattliche Fachwerkhäuser aus dem 17. und 18. Jahrhundert schmücken. Bestes Stück: das Rathaus (Titelbild), das 1435 begonnen und ein Jahrhundert später auf vier Geschosse aufgestockt wurde. Als Clou schmückt seit 1511 eine astronomische Uhr den Giebel. Den besten Ausblick darauf genießt Neptun in seinem Brunnen.

The heart of Tübingen is Marktplatz, adorned by magnificent half-timbered houses from the 17th to the 18 century. The best part is the Town Hall (cover picture), which was begun in 1435 and was enlarged to four floors a century later. The highlight is an astronomical clock which has ornamented the gable since 1511. Neptune in his fountain enjoys the best view of it.

La place de Marché, ornée d'imposantes maisons à colombages des 17 et 18e siècles est le cœur de Tübingen. Le plus bel édifice de la place est l'hôtel de ville (photo de la couverture) commencé en 1435 et surélevé à une hauteur de quatre étages un siècle plus tard. Une superbe horloge astronomique datant de 1511 orne le pignon. Neptune sur sa fontaine est aux premières loges pour l'admirer.

Tübingen ist reich an romantischen Winkeln. Auch die Kirchgasse wartet mit einer gut erhaltenen Fachwerkgalerie auf. Die steinernen Unterbauten der Häuser stammen oft noch aus dem 15. und 16. Jahrhundert. Einen extra Augen-Blick wert ist der figurierte spätgotische Konsolstein am Haus Nr. 1.

Tübingen is rich in romantic nooks. Kirchgasse, for example, offers a whole gallery of well-preserved half-timbered houses. The stone foundations of the houses often date from the 15th and 16th centuries. The late Gothic stone with its figures at house no. 1 is worth an extra look.

Tübingen est riche en recoins romantiques. La Kirchgasse comprend toute une file de maisons à colombages bien conservées. Les soubassements de pierre des maisons datent encore souvent des 15 et 16e siècles. La console de la maison au no 1, ornée de motifs figuratifs du gothique flamboyant, mérite une attention spéciale.

Am Holzmarkt wurde einst getratscht, gehandelt und Geschichte gemacht. Erst verkauften hier Häfner und Kupferschmiede ihre Ware, später feilschte man um Brennholz. Im Haus Nr. 15 absolvierte Hermann Hesse 1895 bis 98 seine Lehre als Buchhändler und schrieb seine ersten Gedichte – noch unter dem Pseudonym Hermann Lauscher.

At one time people gossiped, traded and made history at Holzmarkt. First potters and stove-fitters as well as coppersmiths sold their wares, later people haggled over firewood. At house no. 15 Hermann Hesse completed his apprenticeship as a book-seller from 1895 to 1898 and wrote his first poem – still under the pseudonym of Hermann Lauscher.

Sur le Holzmarkt, autrefois, on commérait, on marchandait et on faisait l'histoire. D'abord les potiers et les chaudronniers y vendirent leurs marchandises. Plus tard on y fit le commerce du bois de chauffage. Dans la maison du no 15, Hermann Hesse fit son apprentissage de libraire de 1895 à 1898 et écrivit ses premières poésies sous le pseudonym d'Hermann Lauscher.

Das Wohnheim Martinianum (links) erinnert an den Theologieprofessor, der im 16. Jahrhundert ein Vermögen zur Unterbringung von Studenten stiftete. Das Haus nebenan mit barocker Fassadenmalerei wurde 1787 von Freiherr Cotta von Cottendorf erworben – mitsamt einer Buchhandlung: Auftakt für seine rasante Verlegerkarriere. In der Neckargasse bilden liebevoll renovierte Wohn- und Geschäftshäuser ein hübsches Spalier für Einkaufsbummler (oben).

The Martinianum Dormitory (left) calls to mind the theology professor who donated a fortune for student accommodation in the 16th century. The house next door with baroque facade painting work was acquired by Baron Cotta von Cottendorf in 1787 – along with a bookshop: the start of his meteoric career as a publisher. In Neckargasse lovingly renovated residential and commercial buildings form a beautiful line for shoppers (above).

Le foyer d'étudiants Martinianum (à gauche) rappelle le professeur de théologie qui, au 16e siècle, légua une fortune pour l'hérbergement des étudiants. La maison voisine avec sa façade ornée de peintures baroques, fut acquise en 1787 par le baron Cotta von Cottendorf – elle comprenait une librairie: point de départ de sa fulgurante carrière d'éditeur. Dans la Neckargasse on fait des achats dans le joli décor de maisons d'habitation et de magasins rénovés avec amour (ci-dessus).

Wenn der Pfleghof erzählen könnte ...! Er gehörte einst zum Kloster Bebenhausen, war Fruchtlager und Kelter, wandelte sich im 19. Jahrhundert zur Turnhalle und zum Fechtboden, diente als Feuerwehrmagazin und Kaserne, beherbergte die archäologische Sammlung der Universität, wurde im Ersten Weltkrieg als Lazarett genutzt. Zur Zeit haben es die Musikwissenschaftler in Beschlag genommen.

If Pfleghof could speak ...! It once belonged to Bebenhausen Monastery, was a fruit storehouse and cellar, transformed into a gymnasium and fencing hall in the 19th century, served as a fire brigade magazine and barracks, housed the archaeological collection of the university and was used as a hospital during World War I. At the moment the musicologists have occupied it.

Si le Pfleghof pouvait parler! il faisait jadis partie du monastère de Bebenhausen. Il servait de cave et d'entrepôt pour les fruits. Au 19e siècle il fut transformé en hall de gymnastique et salle d'armes, servit de caserne et de dépôt de pompiers, abrita la collection archéologique de l'université et servit d'hôpital militaire pendant la Première Guerre Mondiale. A présent il est au service de la science de la musique.

Im „Museum" finden Sie jede Menge Kultur, nur nicht das, was der Name verspricht. Es ist seit 1822 Sitz der Museumsgesellschaft, die sich der Pflege von Geselligkeit, Kunst und Wissenschaft verschrieben hat. Der jetzige Bau wurde 1915 eröffnet; ihm ist zu verdanken, daß die Tübinger keine eigene Stadthalle vermissen: Das „Museum" dient als Kino, Konzert- und Ballsaal, Theater und Bibliothek.

You will find loads of culture in the "Museum", and not only what the name conjures up. It has been the seat of the museum society devoted to the preservation of conviviality, art and science since 1822. The present structure was opened in 1915; thanks to it, the people of Tübingen are not lacking in their own civic auditorium: the "Museum" serves as a cinema, concert hall and ballroom, theater and library.

Dans le «Museum» vous trouverez beaucoup de culture mais pas ce que le nom promet. Depuis 1822 il est le siège de la «société du Musée» qui se propose de cultiver la sociabilité, l'art et la science. L'édifice actuel fut inauguré en 1915. Grâce à lui, Tübingen se passe de grand hall municipal. Le «Museum» sert de cinéma, de salle de concert et de bal, de théâtre et de bibliothèque.

Spuren des Franziskaner-Ordens: die Schwestern lebten früher im Nonnenhaus, einem Fachwerkbau aus dem 14. Jahrhundert am Ammerkanal (oben). Das Kloster ihrer Ordensbrüder befand sich in einem mächtigen Renaissancebau mit Rundtürmen (links, Bildmitte). Ende des 16. Jahrhunderts wurde im Wilhelmsstift eine Akademie für Adelige eingerichtet, 1817 ließ sich die Katholisch-Theologische Fakultät hier nieder.

Traces of the Franciscan Order: the nuns used to live in the convent, a half-timbered edifice from the 14th century at Ammer Canal (above). The monastery of their brothers of the order was located in a mighty Renaissance structure with round towers (left, center of picture). At the end of the 16th century an academy for the nobility was set up in Wilhelmsstift and in 1817 the Catholic Theological Faculty established itself here.

Vestiges de l'ordre des franciscains: les sœurs vivaient jadis dans un couvent, un édifice à colombages du 14e siècle au bord de l'Ammerkanal (ci-dessus). Le monastère des frères du même ordre était un puissant édifice Renaissance avec une tour ronde (à gauche, au centre de la photo). A la fin du 16e siècle une académie pour les aristocrates fut aménagée dans le Wilhelmsstift. En 1817 la faculté de théologie catholique s'y installa.

Reizvolle Begegnung der Gegensätze: Die Kornhaus-Straße (links) zählt zu den idyllischsten Winkeln der Altstadt, in der übrigens auch Märchenerzähler Wilhelm Hauff zu Beginn des 19. Jahrhunderts wohnte. Die Lammpassage mit dem Lammhof gilt als eines der interessantesten Sanierungsgebiete der Stadt.

An attractive encounter of contrasts: Kornhausstraße (left) numbers among the most idyllic spots in the Old Town, where incidentally fairytale teller Wilhelm Hauff lived at the beginning of the 19th century. Lammpassage with Lammhof is considered one of the most interesting renewed areas in the city.

Contrastes charmants: la Kornhausstraße (à gauche) compte parmi les recoins les plus idylliques de la vieille ville. L'écrivain de contes de fées Wilhelm Hauff y habitait au début du 19e siècle. Le Lammpassage avec le Lammhof est considéré comme l'un des exemples les plus intéressants d'assainissement de la ville.

Wer sich – nicht nur für ein Foto – gern von der Vergangenheit verzaubern läßt, sollte die Ammergasse nicht verpassen. Hier reihen sich gemütliche Kneipen und hübsche Lädle malerisch aneinander: Ideal zum Abschalten und Ausgehen.

Those who like to be captivated by the past – not only for a photo – should not miss Ammergasse. Here cosy pubs and lovely little shops fit together in a picturesque setting: ideal for unwinding and going out.

Qui est sensible au charme des vieilles choses devrait se rendre dans l'Ammergasse. Les petits cafés accueillants et les jolis magasins se succèdent dans cette petite rue pittoresque: idéale pour la promenade et l'évasion.

Die Judengasse erinnert an das 12. Jahrhundert, als sich in dem Viertel Juden ansiedelten. Mitte des 15. Jahrhunderts wurden sie im Zuge der Universitätsgründung aus der Stadt gewiesen und durften sich erst ab 1849 wieder hier niederlassen. Die einzigen Zeugen ihrer Geschichte sind heute möglicherweise die Grundwasserbrunnen in den Häuserkellern – Historiker halten sie für rituelle Bäder.

Judengasse calls to mind the 12th century when Jews settled in this quarter. They were expelled from the city in the course of the establishment of the university in the middle of the 15th century and were not allowed to settle down again here until 1849. The groundwater wells in the house cellars are possibly the only evidence of their history today – historians believe they were ritual baths.

La Judengasse rappelle la colonie juive installée dans ce quartier au 12e siècle. Ils furent expulsés au milieu du 15e siècle à la suite de la création de l'université et ne purent revenir qu'en 1849. Les seuls vestiges de leur histoire sont les puits dans les caves des maisons. Les historiens sont d'avis qu'ils servaient aux bains rituels.

Stolzester Fachwerkbau Tübingens ist der ehemalige herzogliche Fruchtkasten aus dem 15. Jahrhundert (links), der einst der staatlichen Vorratswirtschaft und als herzogliche Kelter diente. Hinter seinen mächtigen Eichenbalken pauken heute die Pennäler der Albert-Schweitzer-Realschule. Der Stiefelhof (rechts) wurde 1323 urkundlich erwähnt – als erstes Haus der Stadt.

Tübingen's proudest half-timbered edifice is the former ducal "Fruchtkasten" from the 15th century (left), which once served as a state storehouse and as a ducal winepress. Today pupils of the Albert Schweitzer Middle School cram behind its mighty oak beams. Stiefelhof (right) was mentioned in a document in 1323 – as the first house of the city.

Le plus fier édifice à colombages de la ville, l'ancienne halle aux fruits ducale du 15e siècle (à gauche) qui était un entrepôt d'état et la cave des ducs. A présent, derrière ses puissantes poutres bûchent les potaches de l'école secondaire Albert Schweitzer. Le Stiefelhof (à droite) est mentionné par les chroniques de 1323. Ce fut la première maison de la ville.

Tübingen ist zwar eine der kleinsten Universitätsstädte Deutschlands, doch hier leben rund 25 000 Studenten. Im Mittelpunkt steht für sie nach wie vor der klassizistische Bau der Neuen Aula, der 1845 eingeweiht wurde (links). Aber im Nordwesten sind längst neue akademische Bezirke entstanden, mit neuen Kliniken und einem Studentendorf (unten). Modernes Zeugnis vom Studentenleben: Der Hörsaal „Kupferbau".

Tübingen my be one of the smallest university cities in Germany, but roughly 25,000 students live here. The classicist structure of the New Assembly Hall, officially opened in 1845 (left), is still the focus of attention for them. But in the northwest new academic districts have long come into being, with new clinics and a student village (below). Modern evidence of student life: the lecture hall, "Kupferbau" ("Copper Edifice").

Bien que Tübingen soit l'une des plus petites villes universitaires d'Allemagne, elle compte quand même 25 000 étudiants. Aujourd'hui comme hier, le bâtiment de style classique de la Neue Aula, inauguré en 1845 (à gauche), est le cœur de l'université mais au nord-ouest de nouveaux quartiers universitaires ont été créés avec de nouvelles cliniques et un village étudiant (ci-dessus). Un témoin moderne de la vie étudiante: l'amphitéâtre «Kupferbau».

Sakrale Kostbarkeiten

St. Georg, der Drachentöter, ist Patron der Stiftskirche, die wie eine Basilika die Altstadt überragt. Dieser dritte Kirchenbau an gleicher Stelle stammt aus dem 15. Jahrhundert. Aber erst 1529, als die Reformation schon vor der Tür

St. George, the dragon-slayer, is the patron saint of the collegiate church, which towers over the Old Town like a basilica. This third church strucure at the same site dates from the 15th century. But it was not until 1529, when the

Saint Georges qui terrassa le dragon est le patron de l'église collégiale qui domine la vieille ville comme une basilique. Cet édifice date du 15e siècle, c'est le troisième à avoir été construit à cet emplacement. Le clocher haut de 61 mètres avec

stand, wurde der 61 Meter hohe Turm mit der Spitzhaube vollendet. Zu den Kostbarkeiten St. Georgs gehören die spätgotische Steinkanzel, deren farbige Fassung 1952 freigelegt wurde und im Chor ein gemaltes Triptychon von Martin Schaffner.

Reformation was just around the corner, that the 61-meter-high tower with the pointed roof was completed. Among the treasures in St. George's is the late Gothic stone pulpit, whose original colorful painting work was exposed in 1952 and in the choir a painted triptych by Martin Schaffner.

son toit pointu ne fut complété qu'en 1529 alors que la Réforme s'annonçait déjà. Parmi les objets précieux qui s'y trouvent mentionnons la chaire de pierre de style flamboyant dont les couleurs d'origine furent mises au jour en 1952. Le chœur comprend un triptyque peint de Martin Schaffner.

Der Chor ist nicht nur wegen der Glasmalereien das Prunkstück von St. Georg. Noch eindrucksvoller sind die 14 Sarkophage im Grabgelege, das hier auf Anordnung von Herzog Ulrich 1537 eingerichtet worden ist (oben). Wer sich im Mittelalter auf den europäischen Pilgerweg nach Santiago de Campostella machte, kam an der Tübinger Jakobuskirche nicht vorbei (rechts). Sie war die Hauptkirche der „Unterstadt", auch „Spitalkirche" genannt.

The choir is not the showpiece of St. George's just because of the glass paintings. The 14 sarcophagi in the burial chamber set up at the order of Duke Ulrich in 1537 (above) are even more impressive. Those who made their way to Santiago de Campostella on a European pilgrimage during the Middle Ages could not avoid a stop at the Tübingen Jakobus Church (right). It was the main church of the "Lower City", also called "hospital church".

Le chœur est l'œuvre d'art de parade de l'église Saint-Georges et pas seulement à cause de ses peintures sur verre. Les quatorze sarcophages placés dans la salle funéraire sur l'ordre de duc Ulrich (ci-dessus) sont encore plus impressionnants. Qui au Moyen Age partait pour le grand pélerinage européen de Saint-Jacques-de-Compostelle se devait de passer par la Jakobuskirche, appelée aussi «Spitalkirche» (à droite). C'était la principale église de la «ville basse».

Tübingen ist längst nicht nur Anziehungspunkt
für Studenten, sondern auch für Städtetouristen
aus aller Welt. Die historische Altstadt zieht
jährlich 2,2 Millionen Besucher an – ohne dabei
an Atmosphäre einzubüßen. Auch auf den Stu-
fen der Pfarrkirche St. Johannis werden vergan-
gene Zeiten wieder lebendig.

Tübingen has long stopped being an attraction
only for students, but also entices tourists from
all over the world. The historical Old Town
attracts 2.2 million visitors annually – without
losing any of its atmosphere. Past times also
come alive again on the steps leading up to the
St. Johannis parish church.

Tübingen n'attire pas seulement les étudiants, les
touristes du monde entier l'ont découverte eux
aussi depuis longtemps. Chaque année 2,2 mil-
lions d'entre eux visitent la vieille ville sans que
son atmosphère en souffre. Le passé revit sur les
marches de l'église paroissiale St. Johannis.

Unter Birkenbäumen liegt das Grab von Friedrich Hölderlin. Er ruht auf dem Stadtfriedhof, der zu Beginn des 19. Jahrhunderts entstand – neben Prominenten wie Ludwig Uhland, Friedrich Silcher, Carlo Schmid und (seit 1988) Kurt Georg Kiesinger, ehemaliger Bundeskanzler und Ministerpräsident Baden-Württembergs.

Friedrich Hölderlin's grave lies under birch trees. He is buried at the municipal cemetery, which was laid out at the beginning of the 19th century – next to prominent personalities, such as Ludwig Uhland, Friedrich Silcher, Carlo Schmid and (since 1988) Kurt Georg Kiesinger, former German Chancellor and head of the Federal German state of Baden-Württemberg.

Friedrich Hölderlin repose sous les bouleaux dans le cimetière municipal qui fut créé au début du 19e siècle – à côté d'autres hommes célèbres comme Ludwig Uhland, Friedrich Silcher, Carlo Schmid et, depuis 1988, Kurt Georg Kiesinger, ancien chancelier de la République Fédérale et premier ministre de Baden-Württemberg.

Kunst und Kultur

Von der Ägyptischen Grabkammer bis zum Automuseum Boxenstop: Auch Kunstfreunde kommen in Tübingen auf ihre Kosten. Ein Besuch der Antikensammlung im Archäologischen Institut ist ebenso spannend wir ein Gang durchs Paläontologische Institut, wo urzeitliche Lebewesen wieder Gestalt annehmen (rechts: Kanne aus dem 8. Jh. v.Chr.).

From the Egyptian burial chamber to the Boxenstop Automobile Museum: art fans also get their money's worth in Tübingen. A visit to the collection of ancient exhibits in the Archaeological Institute is just as exciting as a tour through the Paleontological Institute, where primeval living creatures take shape again (right: pitcher from the 8th century B.C.).

De la salle funéraire égyptienne au musée de l'automobile Boxenstop, Tübingen a beaucoup à offrir aux amis de l'art. La collection d'antiquités égyptiennes dans l'institut Archéologique est tout aussi fascinante que l'institut Paléontologique où les animaux préhistoriques ont repris forme (à droite ; cruche du 8e siècle av. J.-C.).

Lichtdurchflutet präsentiert sich die Kunsthalle. Die Witwe des Kunstmalers Georg Friedrich Zundel, Paula, stiftete sie 1971 der Stadt, und wurde mit der Ehrenbürgerschaft bedacht. Ausstellungen mit Werken von Cézanne, Degas, Picasso, Klee, aber auch moderner Künstler wie Rauschenberg und Rückreim fanden hier weit über die Landesgrenzen hinaus Bewunderung.

The Kunsthalle (Art Gallery) presents itself, bathed in light. Paula, the widow of painter Georg Friedrich Zundel, donated it to the city in 1971 and was conferred with the freedom of the city in return. Exhibitions with works by Cézanne, Degas, Picasso, Klee as well as by modern artists, such as Rauschenberg and Rückreim, have been the subject of admiration far beyond the city limits.

Le Kunsthalle est inondé de lumière. Paula Zundel, veuve du peintre Georg Friedrich Zundel le légua à la ville en 1971. La ville la remercia en la faisant citoyenne d'honneur. Des expositions d'œuvres de Cézanne, Degas, Picasso, Klee mais aussi d'artistes modernes comme Rauschenberg et Rückreim furent admirées bien au-delà des limites du land.

Im Kornhaus, das aus dem Jahre 1453 stammt, wurde nicht nur Getreide gelagert. In den Obergeschossen pflegten die Bürger Geselligkeit und sahen noch um 1600 Theaterstücken zu, die reisende Komödianten zum Besten gaben. Seit 1991 ist hier das Stadtmuseum untergebracht, das die Geschichte Tübingens im 19. und 20. Jahrhundert dokumentiert.

The granary dating from the year 1453 was not only used for the storage of grain. On the top floors the town citizens met for social gatherings and even around 1600 watched theatrical performances in which travelling comedians gave their best. Since 1991 the Municipal Museum has been located here, documenting the history of Tübingen in the 19th and 20th centuries.

Dans le Kornhaus qui date de 1453 on n'entreposait pas seulement les céréales. Aux étages supérieurs les bourgeois de la ville cultivaient aussi la sociabilité et assistaient encore vers 1600 à des représentations théâtrales dont les comédiens ambulants régalaient l'auditoire. Le musée municipal qui documente l'histoire de Tübingen aux 19 et 20e siècles a été aménagé ici en 1991.

Das Grün der Stadt

Grüne Oasen braucht man nicht lange zu su-
chen. Alter Botanischer Garten und Anlagensee
sind beliebte Treffpunkte für alle, die des Pfla-
stertretens müde sind. Die Fontäne im See, der
Anfang dieses Jahrhunderts entstand, speit
Wasser von der Schwäbischen Alb – ein Ort wie
geschaffen für Nymphen: Seit 1926 dürfen sich
die von Danecker geschaffenen Exemplare hier
tummeln (unten).

One needn't look long to find green oases. The
Old Botanical Garden and Anlagensee are popular meetingplaces for all those tired of trudging
the pavement. The fountain in the lake, which
was set up at the beginning of this century,
spews water from Schwäbische Alb – a spot just
made for nymphs: since 1926 the figures created
by Danecker have been allowed to romp about
here (below).

Il n'est pas nécessaire de chercher longtemps
pour trouver des oasis de verdure. L'Alter Botanischer Garten et l'Anlagensee sont des lieux où
tous ceux qui en ont assez de battre le pavé

aiment à se retrouver. L'eau de la fontaine du lac
qui date du début du siècle, provient du Jura
Souabe. Ce cadre semble avoir été conçu pour
les nymphes: ces deux exemplaires, œuvres de
Danecker de 1926, ont la permission de s'ébattre
ici.

Die großen Söhne der Stadt in Stein verewigt (von links nach rechts): Dichter Friedrich Hölderlin, der Komponist und Musikdirektor der Universität Friedrich Silcher („Ännchen von Tharau", „Ich weiß nicht, was soll es bedeuten") und der Dichter und Germanistikprofessor Ludwig Uhland, der 1862 in Tübingen starb.

The great city sons immortalized in stone (from left to right): poet Friedrich Hölderlin, the composer and music director of the university, Friedrich Silcher ("Ännchen von Tharau", "Ich weiß nicht, was soll es bedeuten") and the poet and professor of German, Ludwig Uhland, who died in Tübingen in 1862.

Les fils célèbre de la ville immortalisés dans la pierre (de gauche à droite): le poète Friedrich Hölderlin, le compositeur et «directeur de musique» de l'université, Friedrich Silcher («Ännchen von Tharau», «Ich weiß nicht, was soll es bedeuten») et le poète et professeur d'études allemandes Ludwig Uhland qui mourut à Tübingen en 1862.

Seit Beginn des 19. Jahrhunderts verlockt sie zum Faulenzen, Flirten und Flanieren: die Plantanenallee. Sie gilt als eine der schönsten Alleen Deutschlands. Von hier aus bietet sich ein herrlicher Blick auf die Neckarfront. Durch die Flußregulierung ist sie mitsamt dem Seufzerwäldchen zur Insel geworden.

It has been enticing people to lie around, flirt and stroll since the beginning of the 19th century: Plantanenallee. It is considered to be one of Germany's most beautiful avenues. From here one has a marvelous view of the bank of the Neckar. Along with Seufzer Woods, it has become an island as a result of the regulation of the river.

La Plantanenallee, tracée au début du 19e siècle invite à paresser, à flirter, à flâner. Elle est considérée comme l'une des plus belles avenues d'Allemagne. Elle offre une vue merveilleuse sur le Neckar. La régularisation du fleuve a fait d'elle une île qui comprend aussi le Seufzerwäldchen (bosquet des Soupirs).

Am Wochenende

Einen Ausflug in die Pflanzenwelt der Schwäbischen Alb kann man das ganze Jahr über unternehmen. Dafür sorgt seit 1969 der Botanische Garten mit seinen terrassenförmigen Freilandanlagen und den fünf Gewächshäusern, die mit modernster Technik ausgestattet sind (links). Wen es zum Schauplatz der „Lustnauer Schlacht" zieht, den erwartet heute eher eine Idylle (oben). Hier hatte sich im März 1819 zwischen Einwohnern und Tübinger Studenten eine Massenschlägerei entsponnen, nachdem zwei Studenten mit ihrem Gespann in eine Schafherde gefahren waren.

You can take a trip to the world of plants in Schwäbische Alb the whole year round. Since 1969 this has been provided for the Botanical Garden with its terrace-shaped outdoor grounds and the five greenhouses equipped with modern technology (left). Those who are attracted to the site of the "Lustnau Battle" can expect more of an idyll here today (above). In March 1819 a mass fight broke out here between residents and Tübingen students after two students drove into a herd of sheep with their horse and carriage.

Toute l'année durant on peut faire une escapade dans la faune du Jura Souabe grâce au jardin botanique, mis en service en 1969. Il comprend des espaces non couverts en forme de terrasses et cinq serres équipées des techniques les plus modernes (à gauche). Qui se rend sur les lieux de la »bataille de Lustnau« trouvera un endroit idyllique (ci-dessus). En mars 1819 une grande bagarre avait éclaté entre habitants et étudiants de Tübingen après que deux étudiants de Tübingen eurent conduit leur attelage dans un troupeau de moutons.

Fremdenführer feiern die ehemalige Zisterzienserabtei Bebenhausen als „Perle des Mittelalters". Die Klosteranlage, die fast vollständig erhalten ist, wurde um 1187 von Pfalzgraf Rudolf von Tübingen gestiftet. 1868 bis 1918 vollzog sich der Umbau des ehemaligen Gästehauses zum Schloß. Nach der Revolution von 1918 wurde Bebenhausen dem letzten König Wilhelm II. als

Tour guides designate the former Cistercian abbey of Bebenhausen as a "pearl of the Middle Ages". The monastery grounds, which are almost completely intact, were donated by Count Palatine Rudolf von Tübingen around 1187. The conversion of the former guest house into a castle was completed from 1868–1918. After the Revolution of 1918 Bebenhausen was left to the

Les guides touristiques qualifient l'ancienne abbaye cistercienne de Bebenhausen de «perle du Moyen Age». Le monastère qui existe encore presque intégralement fut fondé en 1187 par le comte palatin Rudolf von Tübingen. De 1868 à 1918 l'ancienne hôtellerie fut transformée en château. Après la révolution de 1918, Bebenhausen fut accordé comme rési-

Wohnsitz überlassen. Wilhelm starb hier am 22. Oktober 1921, seine Frau Charlotte 1946. Anschließend ging das Kloster in den Besitz des Landes Württemberg-Hohenzollern über. Nach Sanierung und Restaurierung sind die königlichen Wohnräume (hier Wilhelms Schlafzimmer) seit 1986 wieder für Besucher zugänglich.

last king, Wilhelm II, as his residence. Wilhelm died here on October 22, 1921 and his wife, Charlotte, in 1946. After that possession of the monastery was transferred to the state of Württemberg-Hohenzollern. After renovation and restoration the royal residential rooms (here Wilhelm's bedroom) have been accessible to visitors again since 1986.

dence au dernier roi Guillaume II. Il y mourut en octobre 1921 et sa femme Charlotte en 1946. L'abbaye devint alors propriété du land de Württemberg-Hohenzollern. Les appartements du couple royal (ici la chambre à coucher de Guillaume) ont été restaurés et sont accessibles aux visiteurs depuis 1986.

Zu den ältesten Teilen des Klosters Bebenhausen zählt die Kirche. Gemäß der Ordensregel der Zisterzienser fehlt der Kirchturm. Dafür wurde ein mächtiger Dachreiter errichtet (links). Westlich der Stadt lädt der Spitzberg mit der Wurmlinger Kapelle aus dem 17. Jahrhundert zum Besuch eines der bekanntesten Wahrzeichen des Schwabenlandes ein.

The church is one of the oldest sections of Bebenhausen Monastery. In accordance with the rules of the Cistercian order, there is no church steeple. Instead a majestic roof turret was built (left). West of the city, Spitzberg, with the Wurmlinger Chapel from the 17th century and one of the best-known landmarks in Schwabenland, is an inviting spot for a visit.

L'église compte parmi les plus vieux bâtiments du monastère de Bebenhausen. Selon les règles de l'ordre cistercien elle était dépourvue de clocher. C'est un puissant lanternon de croisée qui le remplace (à gauche). A l'ouest de la ville le Spitzberg et sa chapelle de Wurmlinger du 17e siècle invitent le visiteur. C'est l'un des emblèmes les plus connus du pays souabe.

Chronik

1078
Erste urkundliche Erwähnung
1185
Pfalzgraf Rudolf I. stiftet Kloster Bebenhausen
1388
Aufzeichnung des Stadtrechts
1435
Bau des Rathauses
1477
Gründung der Universität
1498
Erster Buchdruck in Tübingen
1514
Tübinger Vertrag: Macht der Fürsten wird beschränkt
1519–34
Württemberg unter österreichischer Herrschaft
1534
Reformation durch Herzog Ulrich
1536
Gründung des Evangelischen Stifts
1636–88
Wechselnd Besetzung durch Schweden, Österreicher und Franzosen
Ab 1800
Blütezeit schwäbischen Geisteslebens (Uhland, Kerner, Mörike, Hölderlin, Hegel, Schelling u.a.)
1803
Umbau der Bursa zur ersten Klinik in Tübingen
1817
Erste Katholische Theologische Fakultät
1829–31
Abbruch der Stadttore und -mauern
1841–45
Neue Aula. Instituts- und Klinikbauten
1861
Anschluß ans Eisenbahnnetz
1945
Besetzung durch französische Streitkräfte
1946–52
Sitz des Landtags von Württemberg-Hohenzollern in Schloß Bebenhausen
Ab 1955
Universitätserweiterung im Norden der Stadt
1965
Tübingen erhält Europapreis
Ab 1971
Erneuerung der historischen Altstadt

Chronicle

1078
First documentary mention
1185
Count Palatine Rudolf I establishes Bebenhausen Monastery
1388
Recording of town charter
1435
Building of Town Hall
1477
Founding of university
1498
First printing of books in Tübingen
1514
Tübingen Treaty: power of elector-princes is restricted
1519–34
Württemberg under Austrian rules
1534
Reformation through Duke Ulrich
1536
Establishing of Protestant seminary
1636–88
Alternating occupation by Swedes, Austrians and French
Beginning in 1800
Golden age of Swabian intellectual life (Uhland, Kerner, Mörike, Hölderlin, Hegel, Schelling a.o.)
1803
Bursa is rebuilt into first clinic in Tübingen
1817
First Catholic Faculty of Theology
1829–31
City gates and walls torn down
1841–45
New Assembly Hall. Institute and clinic buildings
1861
Connection to railway network
1945
Occupation by French armed forces
1946–52
Seat of state parliament of Württemberg-Hohenzollern in Bebenhausen Castle
Beginning in 1955
Expansion of university
1965
Tübingen receives Europe Prize
Beginning in 1971
Renewal of historical Old Town

Histoire

1078
Première mention dans les chroniques
1185
Fondation du monastère de Bebenhausen par le comte palatin Rudolf I
1388
Droit de ville
1435
Construction de l'hôtel de ville
1477
Fondation de l'université
1498
Première impression de livre à Tübingen
1514
Accords de Tübingen: le pouvoir des ducs est restreint
1519–34
Le Württemberg sous hégémonie autrichienne
1534
La Réforme appuyée par le duc Ulrich
1536
Fondation du collège Evangélique
1636–88
Les Suédois, les Autrichiens et les Français occupent tour à tour la ville
1800
Epanouissement de la vie intellectuelle souabe (Uhland, Kerner, Mörike, Hölderlin, Hegel, Schelling etc.)
1803
La Bursa accueille la première clinique
1817
Première faculté de théologie catholique
1829–31
Les fortifications et les portes de la ville sont rasées
1841–45
Nouvelle Aula. Construction des instituts et de la clinique
1861
Rattachement au réseau de chemin de fer
1945
Occupation par les forces françaises
1946–52
Siège de la diète de Württemberg-Hohenzollern dans le château de Bebenhausen
A partir de 1955
Agrandissement de l'université au nord
1965
Tübingen obtient le prix de l'Europe
A partir de 1971
Rénovation de la vieille ville historique